ABNEHMEN
mit dem Airfryer

ABNEHMEN *mit dem Airfryer*

30
REZEPTE FÜR
DIE HEISSLUFT-
FRITTEUSE

WENIG KALORIEN **VOLLES AROMA**

Gesund und fettarm braten, garen,
backen und frittieren

EIN BUCH DER
EDITION MICHAEL FISCHER

INHALT

S. 16

S. 24

S. 32

REZEPTE

S.42

S. 56

S. 60

DER AIRFRYER – ein Tausendsassa

Frittieren, grillen, backen, braten oder dünsten – der Airfryer ist ein kleiner Alleskönner und bietet jede Menge Möglichkeiten, schnell, einfach und nahezu fettfrei zu garen. Genuss garantiert!

Ein Airfryer oder eine Heißluftfritteuse arbeitet ähnlich wie ein Umluftbackofen. Die Heizspirale oben erhitzt die Luft, die durch einen Ventilator nach unten gedrückt wird. Vom Boden des Gerätes steigt die heiße Luft wieder auf. Durch diese permanente Luftzirkulation wird das Gargut ständig von der heißen Luft umspielt und rundum schonend gegart. Durch den – im Vergleich zum Backofen – kleinen Garraum, erreicht das Gerät schnell die optimale Temperatur. Das spart Zeit und Energie!

Airfryer sind zudem leicht zu bedienen. Das meiste erklärt sich quasi von selbst.

Alle haben ein übersichtliches Display mit zum Teil voreingestellten Programmen für bestimmte Lieblingsgerichte wie Pommes frites, Hähnchenkeulen, Fisch und dergleichen. Daneben lassen sich Temperatur und Zeit aber auch individuell regulieren.

Die Rezepte in diesem Buch wurden mit einem kleinen Gerät mit 3,2 l Inhalt und 1500 Watt getestet. Es ist für 2 Personen perfekt. Wenn Ihre Heißluftfritteuse andere Maße und Werte hat, so ändert das möglicherweise die bei den Rezepten angegeben Zubereitungszeiten ein wenig. Aber das ist überhaupt kein Problem! Sie können die Schublade zur Überprüfung jederzeit kurz öffnen und die Garzeit bei Bedarf nachjustieren.

SCHNELL WIEDER SAUBER

Die Reinigung des Airfryers ist denkbar einfach: Sie ziehen die Schublade aus dem Gerät, heben den Garkorb aus der Verankerung und reinigen beides mit warmem Wasser, etwas Spülmittel und einem weichen Schwamm. Durch die Beschichtung lässt sich alles problemlos reinigen. Damit diese Beschichtung erhalten bleibt, sollten Sie die Speisen immer mit einer beschichteten Zange wenden und aus dem Korb holen. Metallbesteck ist tabu!

VORHEIZEN – JA ODER NEIN?

Nachdem der Garraum recht klein ist, ist auch erheblich weniger Zeit und Energie nötig, ihn aufzuheizen. Das heißt für Sie im Alltag: Vorheizen ist nur in Ausnahmefällen nötig – beim Frittieren, Grillen und Backen können Sie sofort loslegen. Nur beim Anbraten und Dünsten empfiehlt es sich, ähnlich wie beim Anbraten in einer Pfanne, die Backform kurz vorzuheizen. Die entsprechenden Hinweise finden Sie dann bei den jeweiligen Rezepten.

FRITTIEREN, BACKEN, BRATEN –
so einfach geht's

WAS MÜSSEN SIE BEACHTEN?

Zum Frittieren oder Grillen legen Sie die Speisen in den Frittierkorb, wählen Temperatur und Zeit und starten das Programm. Achten Sie darauf, den Korb nicht zu überfüllen. Schließlich soll die zirkulierende Heißluft das Gargut von allen Seiten erreichen. Der Clou: Pommes frites, Nuggets und Co. werden goldbraun, superknusprig und lecker – und das nahezu fettfrei! Öffnen Sie nach der Halbzeit kurz die Schublade, um den Inhalt durchzurütteln oder ein wenig aufzulockern. Das muss natürlich schnell geschehen, damit so wenig heiße Luft wie möglich entweicht. Übrigens: Während beim Frittieren in Öl meist unangenehme Fettschwaden und Gerüche die Luft erfüllen, sind die entstehenden Gerüche beim Airfryer minimal – gerade eben genug, um Lust auf das fertige Gericht zu machen.

DA GEHT NOCH MEHR!

Sie können im Airfryer auch backen, braten und dünsten. Dazu brauchen Sie allerdings ein wenig Zubehör: Eine tiefe Backform eignet sich auch zum Dünsten und Kochen, ein kleines Pizzablech kommt auch zum Braten zum Einsatz und in Silikon-Muffinförmchen backen Sie ebenso herzhafte wie süße Muffins und andere Leckereien. Falls sie nicht zur Grundausstattung gehören, so bekommen Sie sie meist im Set passend zu Ihrem Gerät. Wichtig: Alle Utensilien sollten wirklich zum Gerät passen, denn es muss gewährleistet sein, dass die Heißluft ungehindert zirkulieren kann.

BACKEN IM AIRFRYER

Haben Sie sich immer schon geärgert, dass Sie für ein paar Muffins den Backofen anwerfen mussten? Im Airfryer backen Sie auf kleinstem Raum, das spart Zeit und Energie. Und Muffins, Törtchen und Co. gelingen darin genauso sicher wie immer. Übrigens lassen sich im Airfryer auch Brötchen, Brezeln oder Ähnliches aufbacken: Einfach reinlegen und ca. 5 Minuten bei 140 °C aufknuspern lassen!

ONE POT PASTA , RISOTTO & CO.

In der Heißluftfritteuse lässt sich auch prima dünsten und kochen. Die Zutaten werden dabei nach und nach hinzugefügt, alles Übrige erledigt der Airfryer. Das zeigt einen weiteren Vorteil des kompakten Alleskönners: Die Küche bleibt sauber, und der Abwasch ist ein Klacks.

WELCHE TEMPERATUR, WELCHE ZEIT?

Für die Rezepte in diesem Buch finden Sie die entsprechenden Angaben beim Rezept. Wenn Sie Ihre eigenen Lieblingsrezepte im Airfryer zubereiten möchten, orientieren Sie sich bei Backofengerichten an der Temperaturangabe für Umluft (die immer etwas niedriger ist, als die Angabe für Ober- und Unterhitze). Durch schnelles Aufheizen und wenig Energieverlust im engen Garraum sind die Garzeiten im Airfryer oft ein wenig kürzer. Das können Sie zwischendurch leicht überprüfen: Einfach die Schublade kurz öffnen und nachsehen – und eventuell noch ein wenig weitergaren.

ABNEHMEN
mit dem Airfryer

Wie oft scheitern Diäten daran, dass man irgendwann Heißhunger auf Frittiertes oder Gebackenes bekommt! Bei einer langfristigen Ernährungsumstellung auf eine gesunde und fettarme Kost ist der Airfryer Gold wert.

FETT UND KALORIEN SPAREN

Für viele der Rezepte in diesem Buch ist kein zusätzliches Fett nötig. Damit Sie sich bei der Auswahl und der Zusammenstellung Ihres Speiseplans leichter orientieren können, finden Sie bei jedem Rezept die Nährwerte. Manche Gerichte sind superleicht und machen dennoch satt und zufrieden. Andere enthalten doch an die 500 kcal und mehr. Gönnen Sie sie sich trotzdem ab und an! Eine längerfristige Diät lässt sich viel leichter durchhalten, wenn Sie auf Ihre Lieblingsspeisen nicht komplett verzichten müssen. Wer also Pommes frites liebt, soll sie auch essen. In der Heißluftfritteuse zubereitet, schmecken sie ebenso lecker, enthalten aber gut 70 % weniger Fett als das Original aus dem Ölbad.

DAS SPART ZEIT

Wer im Alltag wenig Zeit zum Kochen hat, greift erfahrungsgemäß öfter mal zu Fast Food, das der Figur nicht immer zuträglich ist. Muss nicht sein! Sie finden in diesem Buch jede Menge Gerichte, die superschnell vorbereitet sind und dann ganz alleine im Airfryer ihrer Vollendung entgegengaren. Sie machen wenig Arbeit, schmecken köstlich und sorgen für ein wohliges Gefühl. Denken Sie außerdem daran: Es ist keine Vielzahl an Schüsseln, Töpfen und Pfannen nötig – und der Abwasch anschließend ist im Nu erledigt. Noch ein Argument, den kleinen Tausendsassa regelmäßig zu nutzen.

KNUSPERGERICHTE

Wie Sie schon gesehen haben, garen die Speisen im Airfryer durch die sie ständig umspielende heiße Luft. Panierte Schnitzel, Fischfilets oder Hähnchen-Nuggets gelingen wunderbar. Für knusprige goldbraune Krusten braucht es allerdings eine kleine Menge Fett, ganz ohne würden sie zu trocken. Betupfen Sie die Stücke am besten vor dem Wenden mit ein wenig Raps- oder Olivenöl. Das geht am einfachsten mit einem Silikonpinsel. Eine andere Möglichkeit sind Ölsprüher, mit denen Sie die Speisen mit einem feinen Ölfilm besprühen können. Damit die Kruste schön aromatisch und knusprig wird, reicht schon eine winzige Menge. Gegenüber den Originalrezepten, bei denen Schnitzel, Nuggets und Co. in Öl frittiert oder in reichlich Fett in der Pfanne gebraten werden, spart das jede Menge Fett.

Es versteht sich von selbst, dass Paniertes in der Diätküche nur ausnahmsweise auf Ihren Speisezettel gehört. Auch die Snacks von Seite 10 und 11 und die süßen Leckereien ab Seite 54 sind natürlich nicht für jeden Tag gedacht. Aber ab und an ein wenig naschen zu dürfen oder eines seiner Lieblingsgerichte zu genießen, erhöht die Wahrscheinlichkeit, dass Sie Ihre Ernährung langfristig auf „gesünder und fettärmer" umstellen. Es lohnt sich. Und der Airfryer hilft Ihnen dabei!

SCHNELLE SNACKS
aus dem Airfryer

Wenn Sie abnehmen möchten, sollten Sie es mit Zwischenmahlzeiten natürlich nicht übertreiben. Da im Airfryer Frittiertes aber doch erheblich fettärmer als herkömmliches Knabberzeug ist, ist sicher ab und an eine Portion dieser knusprigen Leckereien drin.

Hot Masala Chickpeas

Für 4 Portionen: 1 Dose Kichererbsen (ca. 240 g Abtropfgewicht) in einem Sieb mit Wasser abbrausen und gut abtropfen lassen. 1 kleine Knoblauchzehe schälen und in eine Schüssel pressen. Mit 1 EL neutralem Pflanzenöl, 2 Spritzern Zitronensaft, 1 TL Garam Masala, 2 Msp. Chilipulver und ⅓ TL gemahlene Kurkuma verrühren, kräftig salzen und pfeffern. Kichererbsen dazugeben und alles gut mischen. Im Airfryer ca. 15 Minuten bei 180 °C frittieren, nach der Halbzeit gut durchrütteln, dann abkühlen lassen.

Pro Portion ca.: 111 kcal | 4,5 g Eiweiß | 4,7 g Fett | 14,6 g Kohlenhydrate

Rosmarin-Parmesan-Popcorn

Für 4 Portionen: 1 Knoblauchzehe schälen und in Scheiben schneiden. 1 EL gehackte Rosmarinnadeln mit 2 EL Olivenöl verrühren. 75 g Popcorn-Mais für ca. 10 Minuten bei 200 °C im Airfryer frittieren. Sobald alle Körner gepoppt sind, den Airfryer öffnen, das Rosmarinöl über das Popcorn träufeln, 2 EL fein geriebenen Parmesan darüberstreuen, leicht salzen und pfeffern und alles gut mischen. Aus dem Airfryer in eine Schale geben, den Knoblauch entfernen und das Popcorn am besten sofort lauwarm genießen.

Pro Portion ca.: 146 kcal | 3,9 g Eiweiß | 8,5 g Fett | 14,5 g Kohlenhydrate

Onion Rings

Für 4 Portionen: In einer Schüssel 1 EL Speisestärke mit 1 EL Mehl, 1 EL Kartoffelbreipulver, Pfeffer und nach Belieben etwas Chilipulver mischen. Etwa 75 ml kaltes Wasser dazugeben und alles mithilfe eines Schneebesens glatt verrühren. 75 g Panko (japanische Brotbrösel aus dem Asienladen) in einen tiefen Teller füllen. 1 große gelbe Zwiebel (ca. 250 g) schälen, in knapp 1 cm dicke Scheiben schneiden und die Ringe voneinander lösen. Erst in der Mehlmischung, dann in den Panko-Bröseln wenden. Die Zwiebelringe portionsweise ca. 12 Minuten bei 180 °C im Airfryer frittieren. Nach der Halbzeit mit einem Silikonpinsel mit etwas Öl betupfen, vorsichtig wenden, die andere Seite ebenfalls mit Öl betupfen (insgesamt ca. 2 EL) und fertig frittieren. Herausnehmen, salzen und warm genießen.

Pro Portion ca.: 167 kcal | 3,1 g Eiweiß | 6,6 g Fett | 24,7 g Kohlenhydrate

Bunte Wurzelchips mit Meersalz

Für 4 Portionen: 1 dicke Möhre und 1 Pastinake (je ca. 150 g), 1 Rote Bete (ca. 100 g) und 4 Topinamburknollen (ca. 50 g) waschen bzw. schälen (Bio-Gemüse nur gut sauber schrubben), putzen und getrennt in feine Scheiben hobeln (Möhre und Pastinake am besten leicht schräg in Scheiben hobeln). Die Gemüsescheiben getrennt jeweils mit ½ EL Öl mischen und portionsweise ca. 15 Minuten bei 160 °C im Airfryer frittieren. Herausnehmen und mit Meersalz und Pfeffer würzen.

Pro Portion ca.: 105 kcal | 1,4 g Eiweiß | 6,3 g Fett | 12,4 g Kohlenhydrate

Provenzalische Kürbischips

Für 4 Portionen: ¼ Hokkaido-Kürbis (ca. 250 g) gründlich waschen, von Fasern und Kernen befreien und samt Schale in möglichst feine Streifen hobeln. ½ TL getrocknete Kräuter der Provence im Mörser noch etwas feiner mahlen und in einer Schüssel mit 1 Msp. Chilipulver, 1 TL Zitronensaft und 1 EL neutralem Pflanzenöl verrühren. Die Kürbisstreifen hineingeben und alles gut mischen. Ca. 15 Minuten im Airfryer bei 160 °C frittieren, nach der Halbzeit wenden. Herausnehmen und salzen.

Pro Portion ca.: 48 kcal | 0,8 g Eiweiß | 3,1 g Fett | 4,8 g Kohlenhydrate

Mustard & Honey Kalechips

Für 4 Portionen: 300 g Grünkohl waschen, Blätter von den Stielen zupfen, mundgerecht zerkleinern und trocken schleudern. Je 1 TL Cashewmus (aus dem Glas), Dijonsenf, Honig und Zitronensaft mit etwas Salz und Pfeffer und 1 EL Wasser in Schüssel verrühren. Die Grünkohlblätter zugeben und alles mit den Händen kräftig durchkneten, bis die Blätter gut mit der Masse überzogen sind. Für ca. 30 Minuten im Airfryer bei 130 °C trocknen, dabei das Gerät alle 10 Minuten kurz öffnen, damit die Feuchtigkeit entweichen kann, die Kalechips wenden und auflockern. Herausnehmen und abkühlen lassen.

Pro Portion ca.: 32 kcal | 2,1 g Eiweiß | 1,0 g Fett | 4,2 g Kohlenhydrate

REZEPTSYMBOLE

Vegetarisch: 

Vegan: 

Fisch: 

Fleisch:  Rind, Schwein , Geflügel

REZEPTE

SÜSSKARTOFFEL-WEDGES
mit Tahin-Kokos-Dip

Nährwertangaben pro Person:
ca. 438 kcal | 6,2 g Eiweiß | 16,7 g Fett | 66 g Kohlenhydrate

ZUTATEN:

Für die Süßkartoffel-Wedges

1 EL Ahornsirup

1 EL Olivenöl

1 EL getrocknete Gartenkräuter (z. B. Majoran, Thymian)

½ TL Salz

2 Süßkartoffeln (je ca. 200 g)

Für den Dip

1 Zitrone

1 EL Tahin (Sesammus)

4 EL Kokosmilch (Dose)

1 TL Kokosblütenzucker

¼ TL Knoblauchpulver

¼ TL Salz

1 Handvoll frische Kresse

Zubereitungszeit: ca. 25 Min.
Frittieren: ca. 20 Min.

Temperatur: 180 °C

Für 2 Personen

ZUBEREITUNG:

1. Für die Marinade den Ahornsirup, das Olivenöl, die Gartenkräuter und das Salz in einer Schüssel verrühren.
2. Die Süßkartoffeln schälen und in etwa 1,5 cm dicke Spalten schneiden. Die Spalten in der Schüssel gut mit der Marinade vermischen, dann in den Airfryer geben und ca. 20 Minuten bei 180 °C frittieren, nach der Halbzeit einmal wenden.
3. Inzwischen für den Dip den Saft der Zitrone auspressen. Zitronensaft, Tahin, Kokosmilch, Kokosblütenzucker und Knoblauchpulver verrühren und mit Salz abschmecken. Die Kresse untermischen und den Dip in eine kleine Schale füllen.
4. Die heißen Süßkartoffel-Wedges auf zwei Teller geben und mit dem Tahin-Kokos-Dip servieren.

KNUSPRIGE KARTOFFELNESTER

Nährwertangaben pro Person:
ca. 384 kcal | 17 g Eiweiß | 16,4 g Fett | 42 g Kohlenhydrate

ZUTATEN:

Für die Kartoffelnester

500 g festkochende Kartoffeln

1 EL neutrales Pflanzenöl

Salz, Pfeffer

Für das Zaziki

1 kleine Salatgurke

Salz

2–3 Stängel Dill

2 Knoblauchzehen

150 g griechischer Joghurt (10 % Fett)

150 g Magerquark

1 TL Olivenöl

Pfeffer

Zubereitungszeit: ca. 30 Min.
Frittieren: ca. 12–15 Min.

Temperatur: 180 °C

Für 2 Personen

ZUBEREITUNG:

1. Die Kartoffeln waschen, schälen und mit dem Spiralschneider zu Spaghetti schneiden. Die Kartoffelspaghetti in einer Schüssel mit dem Öl mischen, in 4 etwa gleich große Portionen teilen und diese zu Nestern formen.

2. Die Kartoffelnester mit etwas Abstand zueinander in den Airfryer setzen und in 12–15 Minuten bei 180 °C knusprig frittieren.

3. Inzwischen die Salatgurke waschen oder schälen und im Spiralschneider zu Spaghetti schneiden. Diese mit dem Messer in kleinere Stücke schneiden, mit Salz bestreuen und in einem Sieb kurz abtropfen lassen. Anschließend mit den Händen die Flüssigkeit gut ausdrücken.

4. Den Dill waschen und trocken schütteln, die Dillspitzen fein hacken. Den Knoblauch schälen und durch eine Knoblauchpresse drücken. Den Joghurt mit Quark, Olivenöl, Knoblauch und der Hälfte des Dills verrühren. Die ausgedrückten Gurken unterziehen und das Zaziki mit Salz und Pfeffer würzen.

5. Die Kartoffelnester ebenfalls mit Salz und Pfeffer würzen. Zum Servieren je 2 Nester auf einen Teller setzen, die Hälfte des Zazikis dazugeben und mit dem restlichen Dill bestreuen.

Süße Variante

Die Kartoffelnester nach dem Frittieren im Airfryer mit einer Mischung aus 2 TL Zucker und ¼ TL gemahlenem Zimt bestreuen und mit je 120 g Apfelmus servieren.

CURLY FRIES
mit Tomaten-Orangen-Sauce

Nährwertangaben pro Person:
ca. 340 kcal | 6,7 g Eiweiß | 12,4 g Fett | 51,7 g Kohlenhydrate

ZUTATEN:

Für die Sauce

1 große Orange
1 EL Olivenöl
50 g Tomatenmark
Zucker
100 g passierte Tomaten (Dose)
Salz, Pfeffer, Currypulver
Cayennepfeffer
2–3 Zweige Petersilie

Für die Fries

600 g fest kochende Kartoffeln
1 EL Olivenöl
Salz, Pfeffer
½ TL getrockneter Rosmarin
rosenscharfes Paprikapulver
edelsüßes Paprikapulver

Zubereitungszeit:ca. 25 Min.
Kochen: ca. 16 Min.
Frittieren: ca. 12–15 Min.

Temperatur: 180 °C

Für 2 Personen

ZUBEREITUNG:

1. Den Saft der Orange auspressen. Den Airfryer samt Backform 3 Minuten auf 180 °C vorheizen. Das Olivenöl und Tomatenmark hineingeben und 3 Minuten anrösten. 1 Prise Zucker und den Orangensaft unterrühren. Die passierten Tomaten hinzufügen, mit Salz, Pfeffer und je 1 kräftigen Prise Currypulver und Cayennepfeffer würzen. 10 Minuten garen, dabei einmal umrühren und, wenn nötig, etwas Wasser hinzufügen.

2. Inzwischen die Kartoffeln waschen, schälen und im Spiralschneider zu breiten Spiralen schneiden. Mit dem Olivenöl vermengen und mit Salz, Pfeffer, Rosmarin und je 1 kräftigen Prise rosenscharfem und edelsüßem Paprikapulver würzen.

3. Die Backform mit der Sauce herausheben und warm halten. Die Spiralen locker im Airfryer verteillen und bei 180 °C in 12–15 Minuten knusprig frittieren. Nach der Halbzeit wenden.

4. Die Petersilie waschen und trocken schütteln, die Blättchen abzupfen und fein hacken. Die Tomaten-Orangen-Sauce nochmals mit Salz und Pfeffer abschmecken und die Petersilie unterrühren. Die Curly Fries auf zwei Teller verteilen und mit Sauce servieren.

POMMES FRITES
mit Meersalz

Nährwertangaben pro Person:
ca. 172 kcal | 3,9 g Eiweiß | 2,7 g Fett | 33,7 g Kohlenhydrate

ZUTATEN:

500 g mehlig kochende Kartoffeln (z. B. Bintje)

1 TL neutrales Pflanzenöl

Meersalz

Zubereitungszeit: ca. 15 Min.
Frittieren: ca. 12 Min.

Temperatur: 200 °C

Für 2 Personen

ZUBEREITUNG:

1. Die Kartoffeln schälen, längs in ca. 5 mm dicke Scheiben und diese längs in ca. 5 mm dicke Stifte schneiden. Für 10 Minuten in eine Schüssel mit kaltem Wasser geben, dann in ein Sieb abgießen und abtropfen lassen.
2. Die Kartoffelstifte gründlich trocken reiben, mit dem Öl mischen und ca. 12 Minuten bei 200 °C im Airfryer frittieren. Nach der Halbzeit einmal gut durchrütteln.
3. Die Pommes frites herausnehmen. Mit Meersalz bestreuen und sofort heiß genießen.

Variante

Für Kartoffel-Zucchini-Wedges 300 g mehlig kochende Kartoffeln gründlich waschen, abtrocknen und längs in dicke Spalten schneiden. 1 Zucchini (ca. 150 g) waschen, längs halbieren, die Hälften längs dritteln und in ca. 6 cm lange Stücke schneiden. Kartoffeln und Zucchini mit 1 EL Olivenöl und 1 TL getrocknetem Thymian mischen. Wer mag, presst noch eine geschälte Knoblauchzehe dazu. Das Gemüse bei 180 °C ca. 15 Minuten im Airfryer frittieren, nach der Halbzeit einmal kräftig durchrütteln. Herausnehmen und vor dem Servieren mit Salz und Pfeffer würzen. Pro Person: ca. 185 kcal | 4,3 g Eiweiß | 6,3 g Fett | 28,1 g Kohlenhydrate

GRÜNE FALAFELN
mit Sesamsauce

Nährwertangaben pro Person:
ca. 345 kcal | 16 g Eiweiß | 8,7 g Fett | 55,2 g Kohlenhydrate

ZUTATEN:

120 g getrocknete Kichererbsen
1 kleine Zwiebel
1 Knoblauchzehe
je ½ Bund Koriandergrün und Petersilie
1 EL Zitronensaft
½ TL gemahlener Kreuzkümmel
¼ TL gemahlener Koriander
¼ TL Chilipulver
1–2 EL Mehl
½ TL Backpulver
Salz, Pfeffer
2 EL Olivenöl
Sesamsauce (siehe Tipp)

Zubereitung: ca. 30 Min.
Einweichen: mind. 12 Std.
Kühlen: ca. 1 Std.
Frittieren: 15 Min.

Temperatur: 180 °C

Für 2 Personen

ZUBEREITUNG:

1. Die Kichererbsen in eine große Schüssel geben, mit reichlich kaltem Wasser bedecken und mindestens 12 Stunden (am besten über Nacht) quellen lassen.

2. Am nächsten Tag die Kichererbsen in ein Sieb abgießen, kalt abbrausen und abtropfen lassen. Die Zwiebel und den Knoblauch schälen und grob würfeln. Die Kräuter waschen, trocken schütteln und mit den Zweigen grob schneiden. Alles mit dem Zitronensaft mischen und portionsweise im Mixer zu einer nicht zu feinen, leicht krümeligen Masse zerkleinern. Gewürze, Mehl, Backpulver und 1–2 EL Wasser unterkneten. Mit Salz und Pfeffer abschmecken. Die Masse zugedeckt 1 Stunde kalt stellen.

3. Aus der Masse mit angefeuchteten Händen 10 Bällchen formen, mit etwas Abstand zueinander in den Airfryer geben und bei 180 °C ca. 15 Minuten frittieren. Nach der Halbzeit mit einem Silikonpinsel mit Olivenöl betupfen, die Falafeln vorsichtig wenden, auf der anderen Seite ebenfalls mit Öl betupfen und fertig frittieren. Mit Sesamsauce (siehe Tipp) servieren.

Für eine kalorienarme Sesamsauce zu den Falafeln verrühren Sie 150 g Joghurt (1,5 % Fett) mit 1 TL Tahin (Sesammus) und 1 EL Zitronensaft, würzen sie mit ⅓ TL gemahlenem Kreuzkümmel und schmecken sie mit Salz und Cayennepfeffer ab. Dazu passt ein leichter Rotkohlsalat mit Tomaten und Fladenbrot (in den Nährwerten nicht inbegriffen).

GEFÜLLTE KIBBEH
mit Hackfleisch

Nährwertangaben pro Person:
ca. 493 kcal | 34,2 g Eiweiß | 21,3 g Fett | 44,3 g Kohlenhydrate

ZUTATEN:

100 g feiner Bulgur
20 g Walnusskerne
10 g Pinienkerne
1 Zwiebel
1 Knoblauchzehe
3 TL Olivenöl
250 g Rinderhackfleisch
Salz, Pfeffer
je ¼ TL gemahlener Kreuzkümmel, Koriander, Piment und Zimt
2 Msp. Chilipulver
1 EL gehackte Petersilie
½ TL edelsüßes Paprikapulver

Zubereitung: ca. 1 Std.
Braten: ca. 10 Min.
Frittieren: ca. 10 Min.

Temperatur: 200 bzw. 180 °C

Für 2 Personen

ZUBEREITUNG:

1. Den Bulgur mit reichlich Wasser begießen, gut durchrühren und das Wasser abgießen. Anschließend in frischem kaltem Wasser 20–30 Minuten quellen lassen.
2. Die Walnüsse und die Pinienkerne grob hacken. Zwiebel und Knoblauch schälen und fein würfeln. Die Backform in den Airfryer stellen und diese 3 Minuten auf 200 °C vorheizen. Die Hälfte der Zwiebeln mit dem Knoblauch in 1 TL Olivenöl 2 Minuten im Airfryer andünsten. Ein Drittel des Hackfleisches hinzufügen und alles in 5–6 Minuten krümelig braten, salzen und pfeffern. Die Gewürze, Petersilie, Walnüsse und Pinienkerne zum Hackfleisch geben und 2–3 Minuten mitbraten. Herausnehmen und abkühlen lassen.
3. Den Bulgur in ein Sieb abgießen, abtropfen lassen und mit einem Küchentuch trocken tupfen. Mit dem übrigen Hackfleisch und den übrigen Zwiebeln im Mixer (oder mit dem Stabmixer) zerkleinern. Kräftig mit Salz, Pfeffer und Paprikapulver würzen und mit den Händen alles nochmals kräftig durchmengen, bis eine gut formbare Masse entstanden ist, die sich gut verbindet.
4. Aus der Bulgur-Hackfleisch-Masse mit angefeuchteten Händen 10 eiförmige Bällchen formen. In jedes von der spitzen Seite her ein Loch eindrücken, den Teig mit den Fingern vorsichtig weiten und jeweils 2 TL von der gewürzten Hackmasse hineingeben. Die Öffnung über der Füllung gut zusammendrücken und schließen. Die Kibbeh an den Enden jeweils zu kleinen Spitzen formen.
5. Die Kibbeh bei 180 °C ca. 10 Minuten im Airfryer frittieren. Nach der Halbzeit mit einem Silikonpinsel mit dem übrigen Olivenöl betupfen, wenden, die andere Seite ebenfalls betupfen (insgesamt 2 TL) und die Kibbeh fertig frittieren. Heiß servieren.

CHICKEN WINGS
mit Chili

Nährwertangaben pro Person:
ca. 581 kcal | 43,2 g Eiweiß | 40,9 g Fett | 7,9 g Kohlenhydrate

ZUTATEN:

500 g möglichst fleischige Hähnchenflügel

1 Knoblauchzehe

250 ml Sake (japanischer Reiswein)

3 EL helle Sojasauce

Salz, Pfeffer

1 Limette

Chilipulver (nach Belieben)

 Zubereitungszeit: ca. 15 Min.
Grillen: 18–20 Min.

 Temperatur: 180 °C

 Für 2 Personen

ZUBEREITUNG:

1. Die Hähnchenflügel kalt abwaschen, trocken tupfen und die Flügelspitzen entfernen. Anschließend die Hähnchenflügel im Gelenk teilen. Den Knoblauch schälen und in dünne Scheiben schneiden. Mit dem Geflügel in eine Schüssel geben und mit Sake und Sojasauce übergießen. Zugedeckt 2 Stunden kalt stellen, nach der Halbzeit einmal wenden.

2. Die Hähnchenflügel aus der Marinade nehmen (diese aufbewahren), gut abtropfen lassen und mit Küchenpapier trocken tupfen. Die Knoblauchscheiben entfernen. Das Fleisch mit Salz und Pfeffer würzen und mit der Hautseite nach unten nebeneinander portionsweise ca. 10 Minuten bei 180 °C im Airfryer grillen.

3. Die Hähnchenflügel wenden, mit einem Silikonpinsel mit der übrigen Marinade bestreichen und in weiteren 8–10 Minuten goldbraun und knusprig grillen.

4. Die Chicken Wings herausnehmen und auf zwei Teller geben. Die Limette halbieren und zum Beträufeln dazu servieren. Wer mag, bestreut das Fleisch zusätzlich mit ein wenig Chilipulver.

Mediterrane Variante

1–2 Knoblauchzehen schälen und durchpressen. 1–2 Zweige Rosmarin waschen, trocken schütteln, die Nadeln abstreifen und fein hacken. 1 Bio-Zitrone heiß abwaschen, trocken reiben und die Schale mit einem Zestenreißer in feinen Streifen abziehen. Alles mit 2 EL Olivenöl vermischen, die vorbereiteten Hähnchenflügel damit einreiben und 2 Stunden durchziehen lassen. Anschließend, wie oben beschrieben, im Airfryer grillen.

KNUSPERSCHNITZEL

mit Apfel-Coleslaw

Nährwertangaben pro Person:
ca. 483 kcal | 18,1 g Eiweiß | 26,1 g Fett | 46,8 g Kohlenhydrate

ZUTATEN:

Für den Apfel-Coleslaw

150 g Spitzkohl

1 Möhre (ca. 100 g)

1 kleiner säuerlicher Apfel (ca. 120 g)

1 Frühlingszwiebel

75 g saure Sahne

1 EL mittelscharfer Senf

1 EL Zitronensaft

Salz, Pfeffer

Für die Schnitzel

2 EL Mehl

1 Ei (Größe M)

40 g Panko (japanische Brotbrösel, aus dem Asienladen)

2 Putenschnitzel (je ca. 150 g)

Salz, Pfeffer

2 EL neutrales Öl

Zubereitung: ca. 30 Min.
Frittieren: ca. 8 Min.

Temperatur: 200 °C

Für 2 Personen

ZUBEREITUNG:

1. Für den Coleslaw den Spitzkohl putzen und in feine Streifen hobeln. Die Möhre schälen und grob raspeln. Den Apfel waschen, vierteln, entkernen und grob raspeln. Die Frühlingszwiebel putzen, waschen und in feine Ringe schneiden. Die saure Sahne mit Senf und Zitronensaft verrühren. Spitzkohlstreifen, Möhren- und Apfelraspel mit den Frühlingszwiebeln unterrühren und mit Salz und Pfeffer abschmecken.

2. Zum Panieren der Schnitzel das Mehl auf einen Teller geben. Das Ei in einem tiefen Teller mit 1 EL Wasser verschlagen. Die Panko-Brösel auf einen dritten Teller geben.

3. Die Schnitzel kalt abwaschen, trocken tupfen und mit Salz und Pfeffer würzen. Die Schnitzel erst im Mehl wenden und den Überschuss abklopfen, dann durch das Ei ziehen und schließlich in den Panko-Bröseln wenden. Die Panande sanft andrücken. Die Schnitzel nebeneinander in den Airfryer legen und bei 200 °C 4 Minuten frittieren. Mit einem Silikonpinsel mit Öl betupfen und die Schnitzel wenden. Die andere Seite ebenfalls mit Öl betupfen und die Schnitzel in weiteren 4 Minuten fertig frittieren. Die Knusperschnitzel mit dem Apfel-Colesalw servieren.

Tipp

Wer auf Sauce zu den Knusperschnitzeln nicht verzichten mag, serviert sie zum Beispiel mit der Tomaten-Orangen-Sauce von Seite 18. Pro Portion: ca. 101 kcal | 1,6 g Eiweiß, 6,4 g Fett | 9,8 g Kohlenhydrate

CHICKEN NUGGETS
mit Mango-Dip

Nährwertangaben pro Person:
ca. 524 kcal | 43,5 g Eiweiß | 21,6 g Fett | 36,7 g Kohlenhydrate

ZUTATEN:

Für den Mango-Dip

½ reife Mango
1 Stück frischer Ingwer (ca. 1 cm)
1 kleine Knoblauchzehe
½ rote Chilischote
4 EL Kokosmilch (Dose)
1 TL Currypulver
Salz
1–2 TL Limettensaft

Für die Chicken Nuggets

2 kleine Hähnchenbrustfilets (je 150 g)
2 EL Mehl
1 Ei (Größe M)
3 EL Semmelbrösel
Salz, Cayennepfeffer
2 EL neutrales Pflanzenöl

Zubereitung: ca. 30 Min.
Kochen: ca. 7–8 Min.
Frittieren: ca. 12 Min.

Temperatur: 180 °C

Für 2 Personen

ZUBEREITUNG:

1. Für den Dip die Mango schälen, das Fruchtfleisch vom Stein schneiden und fein pürieren. Ingwer und Knoblauch schälen und fein reiben. Die Chilischote waschen, trocken tupfen, vom Stielansatz befreien und längs aufschneiden. Die Samen entfernen und die Chilihälften fein schneiden.

2. Kokosmilch, Ingwer, Knoblauch und Chili in der Backform im Airfryer 5 Minuten bei 180 °C garen. Mangopüree und Currypulver dazugeben und alles 2–3 Minuten einkochen lassen, einmal umrühren. Herausnehmen, mit Salz und Limettensaft abschmecken und abkühlen lassen.

3. Inzwischen die Hähnchenbrustfilets kalt abwaschen, abtrocknen und in je 4–5 Stücke teilen. Das Mehl auf einen Teller geben. Das Ei in einem tiefen Teller mit 1 EL Wasser verschlagen. Die Semmelbrösel auf einen dritten Teller geben.

4. Die Hähnchenstücke mit Salz und Cayennepfeffer würzen. Erst im Mehl wenden und den Überschuss abklopfen, dann durch das verschlagene Ei ziehen. Schließlich in den Semmelbröseln wenden und die Panade sanft andrücken. Die Nuggets ca. 12 Minuten bei 180 °C im Airfryer frittieren, dabei nach der Halbzeit mit einem Silikonpinsel mit etwas Öl betupfen, wenden, auf der anderen Seite ebenfalls mit Öl betupfen und fertig frittieren. Die Chicken Nuggets heiß mit dem Mango-Dip servieren.

HÄHNCHENKEULEN

mit Orangen-Gewürz

Nährwertangaben pro Person:
ca. 438 kcal | 35 g Eiweiß | 28,9 g Fett | 10 g Kohlenhydrate

ZUTATEN:

2 Hähnchenkeulen (je ca. 180 g)

1 große rote Zwiebel

1 Knoblauchzehe

1 Orange

1 EL Olivenöl

je ¼ TL gemahlener Zimt und Kreuzkümmel

je 1 Prise gemahlener Piment und Kardamom

⅓ TL Sumach (orientalisches Gewürz)

Salz, Pfeffer

1 EL Pinienkerne

2–3 Stängel Petersilie

Zubereitung: ca. 15 Min.
Braten: ca. 30 Min.

Temperatur: 180 °C

Für 2 Personen

ZUBEREITUNG:

1. Die Hähnchenkeulen kalt abwaschen und mit Küchenpapier trocken tupfen. Die Zwiebel schälen, längs halbieren und in feine Streifen schneiden.
2. Den Knoblauch schälen und durchpressen. Den Saft der Orange auspressen. 4 EL Orangensaft mit dem Knoblauch, Olivenöl, Zimt, Kreuzkümmel, Piment, Kardamom und Sumach verrühren und mit Salz und Pfeffer würzen.
3. Die Hähnchenkeulen rundum mit dem Würzöl bepinseln, die Zwiebeln mit den Pinienkernen im restlichen Öl wenden und mit den Hähnchenkeulen (Hautseite nach oben) in die Backform geben. Den übrigen Orangensaft angießen und die Form in den Airfryer stellen. Die Hähnchenkeulen ca. 30 Minuten bei 180 °C garen, dabei zweimal wenden.
4. Die Petersilie waschen und trocken schütteln, die Blättchen fein hacken. Die Keulen mit den Zwiebeln auf Tellern anrichten und mit gehackter Petersilie bestreuen.

Variante

Für gegrillte Thymian-Knoblauch-Hähnchenkeulen diese mit einer Mischung aus 1 EL Olivenöl, 1 EL fein gehackten Thymianblättchen, der abgeriebenen Schale von 1 Bio-Zitrone und 1 durchgepressten Knoblauchzehe einreiben. Die Hähnchenkeulen salzen, mit der Hautseite nach unten in den Airfryer legen und 15 Minuten bei 200 °C grillen. Dann wenden und in ca. 10 Minuten fertig grillen. In den letzten 5 Minuten eventuell die Temperatur auf 220 °C erhöhen, damit die Haut besonders knusprig wird.
Pro Person: ca. 368 kcal | 32,7 g Eiweiß | 26,2 g Fett | 0,7 g Kohlenhydrate

ROTE-BETE-SPAGHETTI

mit Entenbrust

Nährwertangaben pro Person:
ca. 375 kcal | 29,6 g Eiweiß | 17,6 g Fett | 24,7 g Kohlenhydrate

ZUTATEN:

1 EL Mandelblättchen

1 kleine Entenbrust (ca. 250 g, ohne Haut)

1 ½ EL Olivenöl

Salz, Pfeffer

2 Rote Beten (je ca. 200 g)

1 Knoblauchzehe

1 TL Honig

1 TL Chilisauce (z. B. Sriracha)

1 kleines Bund Petersilie

1–2 TL Limettensaft

Zubereitung: ca. 15 Min.
Braten und Dünsten:
ca. 8 + 10 Min.

Temperatur: 150 bzw. 180 °C

Für 2 Personen

ZUBEREITUNG:

1. Die Mandelblättchen auf dem Pizzablech verteilen und 5 Minuten bei 150 °C im Airfryer rösten. Herausnehmen und abkühlen lassen.
2. Die Entenbrust mit ½ EL Olivenöl einreiben, in das kleine Pizzablech legen und ca. 8 Minuten bei 180 °C im Airfryer braten, nach der Halbzeit wenden. Die Entenbrust herausnehmen, salzen und pfeffern und zugedeckt warm halten.
3. Inzwischen die Roten Beten schälen und mit dem Spiralschneider zu Spaghetti verarbeiten (am besten Einmalhandschuhe tragen, da das Gemüse stark färbt). Den Knoblauch schälen und durchpressen. Die Rote-Bete-Spaghetti mit dem übrigen Olivenöl (1 EL), Knoblauch, Honig und Chilisauce mischen und mit 4 EL Wasser in die Backform geben. Anstelle des Pizzablechs in den Airfryer stellen und die Gemüsespaghetti in ca. 10 Minuten bei 180 °C bissfest dünsten. Zweimal vorsichtig wenden und auflockern.
4. Die Petersilie waschen und trocken schütteln, die Blätter fein schneiden. Unter die Rote-Bete-Spaghetti mischen und diese mit Salz, Pfeffer und Limettensaft abschmecken.
5. Die Entenbrust quer in dünne Scheiben schneiden, unter die Spaghetti mischen und in zwei tiefen Tellern anrichten. Mit den gerösteten Mandelblättchen bestreut servieren.

Statt „Roodles" passen übrigens auch „Zoodles", Spaghetti aus Zucchini, zur Entenbrust. Statt mit Honig, Chilisauce und Limettensaft würzen Sie diese mit Knoblauch, Thymianblättchen, etwas Zitronenabrieb und reichlich Pfeffer.

CEVAPCICI

mit Paprikastreifen und Feta-Quark

Nährwertangaben pro Person:
ca. 515 kcal | 38,6 g Eiweiß | 34,6 g Fett | 14,1 g Kohlenhydrate

ZUTATEN:

Für die Cevapcici und Paprikastreifen

2 rote Paprika

1–2 Knoblauchzehen

3 Zweige Thymian

2 EL Olivenöl

Salz, Pfeffer

1 Lorbeerblatt

1 Zwiebel

250 g mageres Rinderhackfleisch

2 EL mildes Ajvar (Paprikapaste)

¼ TL rosenscharfes Paprikapulver

Für den Feta-Quark

30 g Feta

120 g Magerquark

½ Bund Petersilie

½ Bio-Zitrone

Salz

Zubereitung: ca. 30 Min.
Braten: 10 + 10 Min.

Temperatur: 180 bzw. 200 °C

Für 2 Personen

ZUBEREITUNG:

1. Die Paprika längs halbieren, putzen, waschen und die Hälften in Streifen schneiden. Den Knoblauch schälen und fein würfeln. Den Thymian waschen, trocken schütteln und die Blättchen abzupfen. 1 EL Öl mit der Hälfte des Knoblauchs, dem Thymian und je 1 kräftigen Prise Salz und Pfeffer verrühren. Paprikastreifen und Lorbeerblatt untermischen. In die Backform geben und ca. 10 Minuten bei 180 °C im Airfryer braten, nach der Halbzeit einmal umrühren. Herausnehmen und warm halten, Lorbeerblatt entfernen.

2. Inzwischen für die Cevapcici die Zwiebel schälen und fein würfeln. Das Hackfleisch mit Zwiebel, übrigem Knoblauch, Ajvar und Paprikapulver verkneten und mit Salz und Pfeffer würzen. Aus der Masse mit angefeuchteten Händen 12 längliche Röllchen formen. Das übrige Öl (1 EL) in die Backform geben, die Cevapcici einlegen und 10 Minuten bei 200 °C braten, dabei ein- bis zweimal wenden.

3. Für den Dip den Feta mit einer Gabel fein zerdrücken und den Quark unterrühren. Die Petersilie waschen, trocken schütteln, die Blättchen abzupfen und fein hacken. Die Schale der halben Zitrone fein abreiben. Petersilie und Zitronenschale unter den Feta-Quark rühren. Mit wenig Salz abschmecken (der Feta bringt schon Salz mit). Paprikastreifen und Cevapcici auf zwei Tellern anrichten und den Feta-Quark dazu servieren.

PANIERTER FISCH
mit leichter Remoulade

Nährwertangaben pro Person:
ca. 516 kcal | 41,3 g Eiweiß | 35,5 g Fett | 10,3 g Kohlenhydrate

ZUTATEN:

Für die Remoulade

1 EL Milch
½ TL mittelscharfer Senf
2 EL Rapsöl
2 EL Joghurt (1,5 % Fett)
1 EL Kapern
1 Cornichon
1 TL gehackter Dill
Salz, Pfeffer

Für den Fisch und Spinatsalat

300 g Seelachsfilet
Salz, Pfeffer
2 TL Zitronensaft
1 Ei (Größe M)
2 EL gemahlene Haselnusskerne
2 EL Leinmehl (aus dem Bioladen)
½ TL edelsüßes Paprikapulver
1 EL neutrales Pflanzenöl
250 g Baby-Spinat

Zubereitung: ca. 25 Min.
Frittieren: 8–10 Min.

Temperatur: 180 °C

Für 2 Personen

ZUBEREITUNG:

1. Für die Remoulade die Milch mit dem Senf verrühren. Das Rapsöl langsam zugießen und mit einem Schneebesen kräftig unterschlagen, bis eine glatte Creme entsteht. Den Joghurt unterziehen. Kapern und Cornichon hacken und mit dem Dill unterrühren. Die Remoulade mit Salz und Pfeffer abschmecken.
2. Das Fischfilet kalt abspülen und trocken tupfen, mit Salz und Pfeffer würzen und mit 1 TL Zitronensaft beträufeln. Das Ei mit etwas Salz und Pfeffer in einem tiefen Teller verquirlen. Die gemahlenen Haselnüsse mit Leinmehl und Paprikapulver in einem zweiten Teller mischen.
3. Das Fischfilet in 6–8 schmale Stücke schneiden. Diese zuerst im Ei, dann in der Nussmischung wenden und die Panade sanft andrücken. Die panierten Fischstücke in den Airfryer legen und 8–10 Minuten bei 180 °C frittieren. Nach der Halbzeit mit einem Silikonpinsel mit Öl betupfen, die Stücke wenden, auf der anderen Seite ebenfalls mit Öl betupfen und fertig frittieren.
4. Inzwischen den Spinat waschen, verlesen und trocken schleudern. Mit Salz, Pfeffer und übrigem Zitronensaft (1 TL) würzen und in zwei Schalen verteilen. Die Fischstücke darauf anrichten und die Remoulade darüberträufeln oder dazu servieren.

FISCHKÜCHLEIN

Japan-Style

Nährwertangaben pro Stück:
ca. 81 kcal | 8,3 g Eiweiß | 3 g Fett | 5,1 g Kohlenhydrate

ZUTATEN:

450 g gut gekühltes Kabeljau- oder Zanderfilet

1 EL Limettensaft

3 EL Sake (japanischer Reiswein)

1 TL Zucker

1 Ei (Größe M)

1 Eiweiß (Größe M)

Salz, Pfeffer

5 getrocknete Mu-Err-Pilze (Wolkenohrpilze)

1 Stück Möhre (ca. 50 g)

10 Zuckerschoten

1 Frühlingszwiebel

2 EL Speisestärke

2 EL neutrales Pflanzenöl

1 Stück frischer Ingwer (ca. 5 cm)

4 EL helle Sojasauce

Zubereitung: ca. 25 Min.
Kühlen und quellen: ca. 1 Std.
Frittieren: ca. 12 Min.

Temperatur: 180 °C

Für 12 Stück

ZUBEREITUNG:

1. Das Fischfilet kalt abwaschen, trocken tupfen, auf Gräten untersuchen und diese gegebenenfalls mit einer Pinzette entfernen. Den Fisch klein würfeln und mit Limettensaft, Sake und Zucker im Blitzhacker fein zerkleinern. Ei, Eiweiß, Salz und Pfeffer zugeben und alles zu einer homogenen Masse pürieren. Zugedeckt ca. 1 Stunde kalt stellen.

2. Inzwischen die Mu-Err-Pilze in einer Schale mit kochendem Wasser übergießen und 30 Minuten quellen lassen. Die Pilze herausnehmen, kalt abbrausen, trocken tupfen und in Streifen schneiden. Die Möhre schälen und raspeln. Die Zuckerschoten waschen, putzen und schräg in feine Streifen schneiden. Die Frühlingszwiebel waschen, putzen und den grünen Teil in feine Ringe schneiden (den Rest anderweitig verwenden). Alles zur Fischmasse geben, die Stärke darüberstreuen und alle Zutaten gründlich vermengen. Aus der Masse mit angefeuchteten Händen 12 flache Küchlein formen.

3. Die Fischküchlein ca. 6 Minuten bei 180 °C im Airfryer frittieren. Dann mit einem Silikonpinsel mit wenig Öl betupfen, wenden, auf der anderen Seite ebenfalls mit Öl betupfen und in weiteren 6 Minuten fertig frittieren.

4. Zum Servieren den Ingwer schälen, fein reiben und in ein Schälchen füllen. Die Sojasauce in ein zweites Schälchen geben und beides zu den heißen Fischküchlein servieren.

LACHSFILET
mit Fenchel-Orangen-Salat

Nährwertangaben pro Person:
ca. 474 kcal | 34,7 g Eiweiß | 33,9 g Fett | 9,5 g Kohlenhydrate

ZUTATEN:

2 Lachsfilet mit Haut (je ca. 180 g)

1 Fenchelknolle (ca. 150 g)

1 große Orange

1 TL rosa Pfefferbeeren

Salz

2 EL Walnussöl (alternativ mildes Olivenöl)

Zubereitung: ca. 15 Min.
Braten: ca. 10. Min.

Temperatur: 160 °C

Für 2 Personen

ZUBEREITUNG:

1. Die Lachsstücke kalt abwaschen und mit Küchenpapier trocken tupfen. Nebeneinander mit der Hautseite nach unten in den Airfryer legen und ca. 10 Minuten bei 160 °C garen.
2. Inzwischen den Fenchel waschen, das Grün abschneiden und beiseitelegen. Die Knolle längs halbieren, den Strunk herausschneiden und die Hälften in feine Spalten schneiden.
3. Die Orange schälen, dabei auch die bittere weiße Haut entfernen. Über einer Schüssel die Orangenfilets zwischen den Trennhäutchen herausschneiden, den Saft dabei auffangen. Die Orangenfilets klein schneiden. Die rosa Pfefferbeeren im Mörser grob zerstoßen.
4. 4 EL Orangensaft mit dem rosa Pfeffer, 1 kräftigen Prise Salz und dem Öl verrühren. Fenchel und Orangenstückchen unterheben. Das Fenchelgrün grob hacken und darüberstreuen.
5. Die Lachsfilets auf Teller geben, salzen und mit dem Fenchel-Orangen-Salat servieren.

Variante

Für Gewürzlachs mit orientalischem Gurkensalat bestreichen Sie die Lachsfilets vor dem Garen auf der Fleischseite mit der Orangen-Gewürz-Marinade von S. 29. Dazu passt ein Salat aus Salatgurkenscheiben, feinen roten Zwiebelspalten und 1 Handvoll zerzupften Minzeblättchen, den Sie mit Zitronensaft, Salz, Pfeffer und Olivenöl anmachen und mit 2 EL Granatapfelkernen bestreuen. Die Nährwerte verändern sich dadurch kaum.

BLUMENKOHL-NUGGETS mit Salsa

Nährwertangaben pro Person:
ca. 459 kcal | 23,5 g Eiweiß | 27,4 g Fett | 34,8 g Kohlenhydrate

ZUTATEN:

Für die Nuggets

700 g Blumenkohl
½ Knoblauchzehe
½ Bund Koriandergrün
75 g Emmentaler
1 Ei (Größe M)
1 ½ EL Flohsamenschalen (aus dem Bioladen)
⅓ TL gemahlener Kreuzkümmel
Salz, Pfeffer
2 EL neutrales Pflanzenöl

Für die Salsa

½ Bund Koriandergrün
250 g passierte Tomaten (Dose)
1 grüne Spitzpaprika
1 Schalotte
½ Knoblauchzehe
5 eingelegte Jalapeños (Glas)
1 TL Limettensaft
⅓ TL gemahlener Kreuzkümmel
Salz, Pfeffer

Zubereitung: ca. 40 Min.
Backen: ca. 5 + 15 Min.

Temperatur: 200 °C

Für 2 Personen

ZUBEREITUNG:

1. Den Blumenkohl waschen, putzen und gut abtropfen lassen. Die Röschen abtrennen. Im Blitzhacker zu „Blumenkohlreis" verarbeiten. In die Backform geben und 5 Minuten im Airfryer bei 200 °C garen. Herausnehmen, in ein sauberes Geschirrtuch geben, zusammendrehen und alle Flüssigkeit herausdrücken.

2. Den Knoblauch schälen. Das Koriandergrün für die Nuggets und die Salsa waschen und trocken schütteln, die Blätter fein hacken. Für die Nuggets den Emmentaler fein reiben. Den Blumenkohlreis in einer Schüssel mit Ei, Knoblauch, geriebenem Käse, Flohsamenschalen und der Hälfte des Koriandergrüns verkneten. Mit Kreuzkümmel, Salz und Pfeffer abschmecken. Aus der Masse 10, jeweils ca. 8 cm lange Nuggets formen.

3. Die Blumenkohl-Nuggets portionsweise ca. 15 Minuten auf dem Pizzablech im Airfryer bei 200 °C backen. Nach der Halbzeit mit einem Silikonpinsel mit ein wenig Öl betupfen. Die Nuggets wenden, etwas platt drücken, auf der anderen Seite ebenfalls betupfen und fertig backen.

4. Für die Salsa die Tomaten in ein hohes Gefäß geben. Die Spitzpaprika halbieren, putzen, waschen und klein schneiden. Die Schalotte und den Knoblauch schälen und zerkleinern. Alles mit dem übrigen Koriandergrün und den Jalapeños mit dem Stabmixer fein pürieren und mit Limettensaft, Kreuzkümmel, Salz und Pfeffer abschmecken. Zu den Blumenkohl-Nuggets servieren.

ZUCCHINI-MÖHREN-KÜCHLEIN

mit Kräuterquark

Nährwertangaben pro Person:
ca. 213 kcal | 13,3 g Eiweiß | 10,2 g Fett | 19,1 g Kohlenhydrate

ZUTATEN:

Für die Küchlein

1 Möhre (ca. 100 g)
1 kleine Zucchini
1 Frühlingszwiebel
½ Knoblauchzehe
1 EL Magerquark
1 EL Kichererbsenmehl
½ TL getrockneter Oregano
Salz, Pfeffer
ca. 1 ½ EL Olivenöl

Für den Kräuterquark

100 g Magerquark
1 Schuss Mineralwasser
Salz, Pfeffer
1 kleines Bund Schnittlauch
Chiliflocken (nach Belieben)

Zubereitung: ca. 25 Min.
Braten: 6–8 Min.

Temperatur: 200 °C

Für 2 Personen

ZUBEREITUNG:

1. Die Möhre schälen, die Zucchini waschen und putzen. Beides grob raspeln. Die Frühlingszwiebel waschen, putzen und in Ringe schneiden. Die Knoblauchzehe schälen und fein hacken. Alles in einer Schüssel mit dem Quark und dem Kichererbsenmehl vermengen und kräftig mit Oregano, Salz und Pfeffer würzen.

2. Die Backform in den Airfryer stellen und 3 Minuten auf 200 °C vorheizen. ½ EL Olivenöl mit einem Silikonpinsel darin verteilen und die Küchlein darin portionsweise braten: Dazu jeweils einen Esslöffel voll Gemüsemasse mit etwas Abstand hineinsetzen, zu kleinen Küchlein ausstreichen und 3–4 Minuten braten. Die Küchlein mit dem Silikonpinsel mit ein wenig Öl betupfen, wenden und auf der anderen Seite in 3–4 Minuten fertig braten. Herausnehmen und warm halten, bis alle gebraten sind.

3. Inzwischen für den Kräuterquark den Quark mit einem Schuss Mineralwasser glatt rühren und mit Salz und Pfeffer würzen. Den Schnittlauch waschen, trocken schütteln, in Röllchen schneiden und unterheben. Nach Belieben mit Chiliflocken abschmecken. Mit den Zucchini-Möhren-Küchlein servieren.

PORTOBELLO-BURGER
mit Tomatenpesto

Nährwertangaben pro Person:
ca. 411 kcal | 13 g Eiweiß | 23,1 g Fett | 41 g Kohlenhydrate

ZUTATEN:

Für das Pesto

40 g getrocknete Tomaten (in Öl)
1 kleine Knoblauchzehe
15 g geröstete Pinienkerne
Salz
1–2 Stiele Basilikum
1 EL Olivenöl
Pfeffer

Für den Belag

20 g Walnusskerne
2 große Portobello-Pilzkappen
2 TL Olivenöl
Salz, Pfeffer
100 g Kirschtomaten
2 Salatblätter

Außerdem

2 Ciabatta-Brötchen

Zubereitung: ca. 15 Min.
Grillen: ca. 5 + 10 + 5 Min.

Temperatur: 180–200 °C

Für 2 Personen

ZUBEREITUNG:

1. Für das Pesto die Tomaten abtropfen lassen und klein schneiden. Den Knoblauch schälen und fein hacken. Alles mit den Pinienkernen und 1 Prise Salz im Mörser fein zerstoßen. Das Basilikum waschen, trocken schütteln, die Blätter abzupfen und fein schneiden. Mit dem Olivenöl unterrühren und mit Pfeffer abschmecken.
2. Die Walnüsse 5 Minuten im Airfryer bei 180 °C rösten. Herausnehmen und grob hacken. Inzwischen die Pilzkappen putzen (die Stiele gegebenenfalls entfernen), trocken abreiben und mit Öl einreiben. Im Airfryer ca. 10 Minuten bei 200 °C grillen, dabei einmal wenden. Salzen und pfeffern, dann herausnehmen.
3. Die Kirschtomaten waschen und klein schneiden. Die Salatblätter waschen und trocken tupfen.
4. Die Ciabatta-Brötchen aufschneiden und die Hälften 3 Minuten bei 180 °C im Airfryer rösten. Dann alle Hälften mit Tomaten-Pesto bestreichen und die unteren Hälften mit Salatblättern belegen. Jeweils eine gegrillte Portobello-Pilzkappe und die Hälfte der Kirschtomaten daraufgeben. Die gerösteten Walnüsse aufstreuen und die Burger mit den oberen Ciabatta-Hälften abdecken.

Tipp

Wenn Sie keine Portobello-Pilze bekommen, können Sie diese alternativ auch durch große Champignonköpfe oder Austernpilzkappen ersetzen.

MINI-FRITTATE
mit Tomatensalsa

Nährwertangaben pro Person:
ca. 339 kcal | 24,3 g Eiweiß | 15,8 g Fett | 28,1 g Kohlenhydrate

ZUTATEN:

Für die Frittate

100 g TK-Erbsen
2 Möhren (je ca. 100 g)
4 Eier (Größe M)
25 g frisch geriebener Parmesan
1 Knoblauchzehe (nach Belieben)
Salz, Pfeffer

Für die Tomatensalsa

4 Strauchtomaten
1 Schalotte
½ Bund Basilikum
2 TL Zitronensaft
Salz, Cayennepfeffer

Zubereitung: ca. 20 Min.
Backen: 8–10 Min.

Temperatur: 180 °C

Für 2 Personen

ZUBEREITUNG:

1. Für die Fritatte die Erbsen aus dem Gefrierschrank nehmen und auf einem Teller antauen lassen. Die Möhren schälen und grob raspeln. Die Eier mit der Hälfte des Parmesans verquirlen. Nach Belieben den Knoblauch schälen und dazupressen. Möhren und Erbsen unterrühren und kräftig mit Salz und Pfeffer würzen.
2. Die Masse in 6 Silikon-Muffinförmchen verteilen und den übrigen Parmesan aufstreuen. Die Förmchen in den Airfryer stellen und die Gemüse-Frittate 8–10 Minuten bei 180 °C backen.
3. Inzwischen für die Salsa die Tomaten waschen, vierteln, entkernen und sehr klein würfeln. Die Schalotte schälen und fein würfeln. Basilikum waschen, trocken schütteln, die Blättchen abzupfen und in feine Streifen schneiden. Alles mit dem Zitronensaft mischen und mit Salz und Cayennepfeffer abschmecken.
4. Die Mini-Frittate herausnehmen und etwas abkühlen lassen. Dann vorsichtig aus den Förmchen lösen und jeweils 3 Stück mit der Tomatensalsa servieren.

Wer keine Muffinförmchen für den Airfryer hat, kann die Frittate auch im Pizzablech (ca. 16 cm) zubereiten. Zum Servieren einfach halbieren.

PIKANTE MUFFINS
mit Tomaten und Käse

Nährwertangaben pro Stück:
ca. 167 kcal | 8,9 g Eiweiß | 11,9 g Fett | 8,9 g Kohlenhydrate

ZUTATEN:

50 g Butter

10 Kirschtomaten

1 rote Zwiebel

2–3 Stängel Basilikum

60 g Gouda oder Bergkäse (am Stück)

1 Ei (Größe M)

Salz, Pfeffer

100 ml Milch

80 g Leinmehl (aus dem Bioladen)

1 Knoblauchzehe

1 TL Backpulver

Außerdem

6 Papierbackförmchen

Zubereitung: ca. 15 Min.
Backen: 15–18 Min.

Temperatur: 180 °C

Für 6 Stück

ZUBEREITUNG:

1. Die Butter schmelzen und abkühlen lassen. Die Kirschtomaten waschen, in kleine Stückchen schneiden und auf Küchenpapier abtropfen lassen. Die Zwiebel schälen und fein würfeln. Basilikum waschen, trocken schütteln, die Blätter abzupfen und fein schneiden. Den Käse fein reiben.

2. Das Ei mit je 1 kräftigen Prise Salz und Pfeffer, der geschmolzenen Butter und der Milch verrühren und mit einem Schneebesen schlagen, um ein wenig Luft einzuarbeiten. Das Leinmehl anschließend vorsichtig unterziehen.

3. Tomatenstückchen, Zwiebelwürfel, Basilikum und geriebenen Käse zum Teig hinzufügen. Die Knoblauchzehe schälen, dazupressen und alles gut vermischen. Zum Schluss das Backpulver unter den Teig rühren.

4. 6 Silikon-Muffinförmchen mit Papierbackförmchen bestücken und den Teig auf die Förmchen verteilen. Diese in den Airfryer stellen und die Muffins in 15–18 Minuten bei 180 °C goldbraun backen. Herausnehmen, die Muffins aus den Silikonförmchen heben und auf einem Kuchengitter auskühlen lassen.

FRÜHSTÜCKS-MUFFINS
mit Kerne-Mix

Nährwertangaben pro Stück:
ca. 118 kcal | 7,8 g Eiweiß | 8 g Fett | 5,2 g Kohlenhydrate

ZUTATEN:

Eiweiß von 3 Eiern (Größe M)
Salz
70 ml Rapsöl
20 g Leinmehl (aus dem Bioladen)
60 g Mandelmehl
1 TL Backpulver
ca. 1 EL Sonnenblumenkerne
ca. 1 EL Kürbiskerne

Zubereitung: ca. 15 Min.
Backen: 15–18 Min.

Temperatur: 180 °C

Für 6 Stück

ZUBEREITUNG:

1. Das Eiweiß mit 1 Prise Salz mit dem Handrührgerät oder der Küchenmaschine steif schlagen.
2. Das Rapsöl vorsichtig mit einem Silikonspatel unterziehen, sodass die feinen Luftbläschen im Eiweiß nicht zerstört werden. Leinmehl, Mandelmehl und Backpulver daraufsieben und vorsichtig unterheben.
3. Die Masse in 6 Silikon-Muffinförmchen verteilen und jeweils ein paar Sonnenblumen- und Kürbiskerne aufstreuen. Die Förmchen in den Airfryer stellen und die Frühstücks-Muffins 15–18 Minuten bei 180 °C backen.
4. Die Muffins herausnehmen und lauwarm auskühlen lassen. Dann aus den Förmchen lösen und zum Frühstück servieren.

Tipp

Die übrigen Eigelbe können Sie beispielsweise für Rührei verwenden: Für 2 Personen mit 2 ganzen Eiern und 2 EL Milch verschlagen und mit Salz und Pfeffer würzen. In 1 TL geschmolzener Butter in einer beschichteten Pfanne unter gelegentlichem Rühren bei schwacher Hitze stocken lassen. Mit frischen Schnittlauchröllchen bestreut servieren. Funktioniert übrigens auch sehr gut bei 180 °C in der Backform im Airfryer, wenn der nach dem Muffin-Backen wieder frei ist! Pro Person: ca. 201 kcal | 12,2 g Eiweiß | 17,2 g Fett | 1,8 g Kohlenhydrate

ONE-POT-RATATOUILLE
mit Kichererbsennudeln

Nährwertangaben pro Person:
ca. 264 kcal | 11,5 g Eiweiß | 8,4 g Fett | 37,1 g Kohlenhydrate

ZUTATEN:

1 rote Zwiebel
1 Knoblauchzehe
125 g Aubergine
125 g Zucchini
250 g Tomaten
1 TL Olivenöl
400 g stückige Tomaten (Dose)
350 ml heiße Gemüsebrühe (siehe Tipp)
100 g Kichererbsen-Spirelli
1 TL getrockneter Oregano
1 TL getrockneter Thymian
1–2 TL Ajvar (nach Belieben)
1–2 Stiele Basilikum
Salz, Pfeffer
2 TL frisch geriebener Parmesan
4 Kapernäpfel

Zubereitung: ca. 20 Min.
Garen: ca. 20 Min.

Temperatur: 200 °C

Für 2 Personen

ZUBEREITUNG:

1. Die Zwiebel und den Knoblauch schälen und fein hacken. Aubergine, Zucchini und Tomaten waschen, putzen und in kleine Stücke bzw. Scheiben schneiden.
2. Die Backform in den Airfryer stellen und 3 Minuten bei 200 °C vorheizen. Das Olivenöl, die Zwiebel und den Knoblauch hineingeben und 3 Minuten anbraten.
3. Aubergine, Zucchini und Tomaten hinzugeben und 2 Minuten mitbraten. Die stückigen Tomaten und die Gemüsebrühe unterrühren und 5 Minuten garen.
4. Die Kichererbsen-Spirelli hinzugeben und mit Oregano, Thymian und Ajvar würzen. Alles 10–12 Minuten garen, bis die Pasta gar, aber noch bissfest ist, dabei zweimal vorsichtig umrühren.
5. Das Basilikum waschen, trocken schütteln und die Blätter abzupfen. Unter das Ratatouille rühren und mit Salz und Pfeffer abschmecken. In zwei Schalen oder tiefe Teller verteilen, mit Parmesan bestreuen und, mit den Kapernäpfeln garniert, servieren.

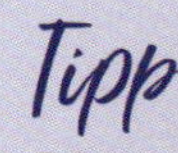

Erhitzen Sie das Wasser für die Gemüsebrühe am besten im Wasserkocher, das spart Zeit und den zweiten „Pot".

SELLERIE-RISOTTO
mit Rotweinbirnen

Nährwertangaben pro Person:
ca. 492 kcal | 11,4 g Eiweiß | 14g Fett | 71,1 g Kohlenhydrate

ZUTATEN:

2 reife Birnen (z. B. Abate Fetel)
250 ml trockener Rotwein
2 Schalotten
1 Knoblauchzehe
150 g Knollensellerie
30 g Parmesan
20 g Butter
120 g Risottoreis (z. B. Arborio)
100 ml trockener Weißwein
400 ml heiße Gemüsebrühe (siehe Tipp Seite 48)
Salz, Pfeffer

 Zubereitung: ca. 30 Min.
Garen: ca. 8 + 28 Min.

 Temperatur: 200 bzw. 180 °C

 Für 2 Personen

ZUBEREITUNG:

1. Die Birnen halbieren, schälen, das Kerngehäuse entfernen. Mit den Schnittflächen nach unten in die Backform legen und mit dem Rotwein übergießen. Ca. 8 Minuten bei 200 °C im Airfryer garen. Die Form herausnehmen, die Birnen samt Weinsud in eine Schale geben und abkühlen lassen. Die Backform reinigen.
2. Für den Risotto die Schalotten, den Knoblauch und den Sellerie schälen. Schalotten und Knoblauch fein, den Sellerie klein würfeln. Den Parmesan fein hobeln.
3. Den Airfryer 3 Minuten auf 180 °C vorheizen. Die Hälfte der Butter in die Backform geben und im Airfryer schmelzen lassen. Schalotten, Knoblauch und Risottoreis darin 2–3 Minuten andünsten. Mit dem Weißwein ablöschen und 5 Minuten köcheln lassen.
4. Die heiße Brühe angießen, den Sellerie zugeben und den Risotto 18–20 Minuten im Airfryer garen. Alle 5 Minuten umrühren. Der Reis sollte am Ende „al dente" sein, also noch etwas Biss haben.
5. Die übrige Butter und zwei Drittel des gehobelten Parmesans unter den Risotto rühren. Mit Salz und Pfeffer abschmecken. Die Birnen aus dem Sud nehmen, abtropfen lassen und in Spalten schneiden. Den Risotto in zwei Schalen verteilen. Den übrigen Parmesan aufstreuen und die Birnenspalten darauf anrichten.

Tipp

Die Rotweinbirnen schmecken noch mal so gut, wenn Sie sie schon am Vortag zubereiten und über Nacht zugedeckt durchziehen lassen. Den Rotweinsud müssen Sie nicht wegwerfen. Er ist eine ausgezeichnete Basis für Schmorgerichte und würzige Saucen zu Kurzgebratenem.

GEFÜLLTE ZUCCHINI
mit Quinoa-Paprika-Mix

Nährwertangaben pro Person:
ca. 275 kcal | 13,7 g Eiweiß |14,3 g Fett | 25,2 g Kohlenhydrate

ZUTATEN:

2 kleine Zucchini
½ rote Paprika
30 g Mais (Dose)
30 g Quäse (Sauermilchkäse)
½ Bund Petersilie
25 g Cashewkerne
120 g gegarte Quinoa
1 EL Olivenöl
Salz, Pfeffer
100 ml Gemüsebrühe

Zubereitung: ca. 25 Min.
Garen: ca. 25 Min.

Temperatur: 180 °C

Für 2 Personen

ZUBEREITUNG:

1. Die Zucchini waschen, putzen, längs halbieren und aushöhlen. Das Fruchtfleisch klein würfeln. Die Paprika waschen, halbieren, putzen, waschen und ebenfalls klein würfeln. Den Mais in einem Sieb abspülen. Den Quäse klein würfeln. Die Petersilie waschen, trocken schütteln und fein hacken.
2. Die Cashewkerne grob hacken. Die Quinoa mit dem Zucchinifruchtfleisch, den Paprikawürfeln, dem Mais und dem Quäse mischen. Petersilie, Cashewkerne und Olivenöl unterheben und mit Salz und Pfeffer würzen.
3. Die Zucchinihälften salzen und pfeffern und in die Backform des Airfryers legen. Die Quinoa-Mischung in die ausgehöhlten Zucchinihälften füllen und die Gemüsebrühe angießen. Die gefüllten Zucchini ca. 25 Minuten bei 180 °C im Airfryer garen. Anschließend auf zwei Teller geben und heiß servieren.

Tipp

Das Rezept eignet sich perfekt zur Resteverwertung. Statt Quinoa können Sie dafür auch gegarten Reis verwenden. Und natürlich geht auch jeder andere fettarme Käse wie Harzer oder fettarmer Camembert. Die Nährwerte ändern sich dadurch kaum.

GEFÜLLTE PAPRIKA
mit Bulgur-Tomaten-Mix

Nährwertangaben Person:
ca. 330 kcal | 14 g Eiweiß | 13,1 g Fett | 42,1 g Kohlenhydrate

ZUTATEN:

75 g Instant-Bulgur

Salz

4 kleine gelbe Paprika

2 Strauchtomaten

100 g Feta

½ Bund Petersilie

1 TL Garam Masala (indische Gewürzmischung)

Pfeffer

Zubereitung: ca. 20 Min.
Garen: ca. 25 Min.

Temperatur: 180 °C

Für 2 Personen

ZUBEREITUNG:

1. Den Bulgur in eine Schüssel geben, salzen und mit 150 ml kochend heißem Wasser übergießen. Nach Packungsangabe ca. 5 Minuten quellen lassen.
2. Inzwischen die Paprika waschen, von oben den Stielansatz und die weißen Trennwände herausschneiden und die Kerne herausschütteln. Die Tomaten waschen und klein würfeln. Den Feta mit einer Gabel zerbröseln. Die Petersilie waschen, trocken schütteln und die Blätter fein schneiden.
3. Den Bulgur mit einer Gabel auflockern. Tomatenwürfel, Feta und Petersilie untermengen und die Masse mit Garam Masala, Salz und Pfeffer würzen.
4. Die Bulgur-Mischung in die Paprika füllen. Die Schoten in die Backform stellen, 4 EL Wasser angießen und die gefüllten Paprika ca. 25 Minuten bei 180 °C im Airfryer garen. Bei Bedarf noch ein wenig Wasser hinzufügen. Auf Teller geben und heiß servieren.

Tipp

Sie können auch gerne rote und gelbe Paprika mischen. Und statt Bulgur schmeckt auch eine Füllung mit Instant-Couscous.

SCHOKO-TÖRTCHEN
mit Banane

Nährwertangaben pro Stück:
ca. 178 kcal | 5 g Eiweiß | 9,5 g Fett | 18,6 g Kohlenhydrate

ZUTATEN:

125 g frischer Blätterteig (aus dem Kühlregal)

20 g weiche Butter

1 Ei (Größe M)

1 EL Honig

Salz

75 g Magerquark

1 EL Hafermehl

1 kleine reife Banane

10 g Kakao-Nibs (aus dem Bioladen)

½ TL Kakaopulver

Zubereitung: ca. 15 Min.
Backen: ca. 12 Min.

Temperatur: 160 °C

Für 6 Stück

ZUBEREITUNG:

1. Den Blätterteig ausrollen, in 6 Quadrate von ca. 8 x 8 cm schneiden und diese in die Silikon-Muffinförmchen drücken. Den Blätterteig am Boden mit den Zinken einer Gabel einstechen, damit der Teig gleichmäßig aufgeht.
2. Für die Füllung die weiche Butter mit Ei, Honig und 1 Msp. Salz mithilfe des Handrührgeräts schaumig schlagen. Den Quark unterrühren. Das Hafermehl daraufsieben und unterheben. Banane schälen, klein würfeln und mit den Kakao-Nibs unter die Masse geben.
3. Die Quarkmasse in die Blätterteigmulden verteilen und die Förmchen in den Airfryer stellen. Die Törtchen ca. 12 Minuten bei 160 °C backen. Herausnehmen und abkühlen lassen. Die Schoko-Törtchen aus den Förmchen lösen und zum Servieren mit ein wenig Kakaopulver bestäuben.

Variante

Für 6 Feigen-Walnuss-Törtchen 3 große reife Feigen schälen und in je 6 Längsspalten schneiden. Statt der Bananen-Quark-Masse je 3 Feigenspalten in die Blätterteigmulden geben, jeweils 1 TL Ziegenfrischkäse darauf verteilen, ½ TL Honig darüberträufeln und insgesamt 20 g gehackte Walnusskerne aufstreuen. Wie beschrieben, im Airfryer backen und am besten lauwarm genießen.
Pro Stück: ca. 149 kcal | 2,7 g Eiweiß | 8,1 g Fett | 17,1 g Kohlenhydrate

APFELSTRUDEL-TÄSCHCHEN

mit Zimt und Rosinen

Nährwertangaben pro Stück:
ca. 131 kcal | 1,9 g Eiweiß | 3,9 g Fett | 22,1 g Kohlenhydrate

ZUTATEN:

2 Strudelteigblätter (aus dem Kühlregal, ca. 60 g)

1 säuerlicher Apfel

1 EL Zitronensaft

1 EL Rosinen

½ TL gemahlener Zimt

1 EL brauner Zucker

1 EL Butter

1 TL Puderzucker

Zubereitung: ca. 20 Min.
Backen: ca. 15 Min.

Temperatur: 160 °C

Für 4 Stück

ZUBEREITUNG:

1. Den Teig bei Zimmertemperatur in der Packung ca. 10 Minuten ruhen lassen. Den Apfel schälen, vierteln, das Kerngehäuse entfernen. Die Viertel erst längs in je drei Spalten, dann quer in feine Scheiben schneiden. Mit Zitronensaft, Rosinen, Zimt und braunem Zucker mischen.

2. Die Butter schmelzen und mit 1 EL lauwarmem Wasser mischen. Die Strudelblätter auf ein angefeuchtetes sauberes Geschirrtuch legen. Eine Hälfte jedes Teigblattes mit etwas Buttermischung bestreichen. Die unbestrichene Teighälfte jeweils darüberschlagen, sodass Rechtecke entstehen. Die Rechtecke halbieren, sodass 4 Quadrate entstehen.

3. Jeweils ein Viertel der Apfelmischung auf jedes Teigquadrat geben. Die Teigränder über der Füllung nehmen und zusammendrehen. Die Päckchen in 4 Silikon-Muffinförmchen setzen und mit der restlichen Buttermischung bestreichen. Die Apfeltäschchen ca. 15 Minuten bei 160 °C im Airfryer backen. Herausnehmen und mit Puderzucker bestäuben.

Variante

Sie können die knusprigen Strudelteigtäschchen statt mit Apfel und Rosinen auch mit Birne und getrockneten Cranberrys füllen und dabei den Zimt durch ¼ TL gemahlenen Kardamom ersetzen. Die Nährwerte ändern sich dadurch kaum.

PFLAUMEN
mit Gewürzjoghurt

Nährwertangaben pro Person:
ca. 151 kcal | 2,4 g Eiweiß | 5,3 g Fett | 24,3 g Kohlenhydrate

ZUTATEN:

250 g Pflaumen (alternativ Zwetschgen)

3 TL Kokosblütenzucker

etwas abgeriebene Bio-Zitronenschale

100 g griechischer Joghurt (10 % Fett)

¼ TL Lebkuchengewürz

Zubereitung: ca. 10 Min.
Dünsten: ca. 12 Min.

Temperatur: 160 °C

Für 2 Personen

ZUBEREITUNG:

1. Die Pflaumen waschen, vierteln und entsteinen. Mit 2 TL Kokosblütenzucker bestreuen und mit der Zitronenschale und 4 EL Wasser in die Backform geben. In den Airfryer stellen und die Pflaumen ca. 12 Minuten bei 160 °C dünsten, nach der Halbzeit umrühren. Die Pflaumen lauwarm abkühlen lassen.
2. Den Joghurt mit dem übrigen Kokosblütenzucker (1 TL) und dem Lebkuchengewürz verrühren. Die Pflaumen in zwei Schalen verteilen und mit dem Gewürzjoghurt bekrönen.

Variante

Im Sommer ersetzen Sie die Pflaumen durch entsteinte und geviertelte Aprikosen und das Lebkuchengewürz durch das ausgekratzte Mark von ½ Vanilleschote – ebenfalls lecker! Die Nährwerte ändern sich dabei kaum.

BRATÄPFEL
mit Preiselbeeren

Nährwertangaben pro Person:
ca. 245 kcal | 2,9 g Eiweiß | 7,9 g Fett | 41,6 g Kohlenhydrate

ZUTATEN:

2 säuerliche Äpfel (je ca. 150 g)
1 TL Zitronensaft
2 Prisen gemahlener Zimt
2 TL weiche Butter
2 EL Preiselbeeren (Glas)
2 TL Mandelstifte
2 EL Vanillejoghurt (Glas)

Zubereitung: ca. 5 Min.
Backen: 20 Min.

Temperatur: 160 °C

Für 2 Personen

ZUBEREITUNG:

1. Die Äpfel waschen, abtrocknen und mit einem Kugelausstecher von oben das Kerngehäuse herauslösen. Die Äpfel sollen dabei unten geschlossen bleiben. Die Äpfel innen mit Zitronensaft ausreiben und je 1 Prise Zimt hineinstreuen.
2. Die Äpfel außen dünn mit Butter einreiben und in das kleine Pizzablech (ca. 16 cm Ø) setzen. Mit je 1 EL Preiselbeeren füllen, die Mandelstifte aufstreuen und die übrige Butter in Flöckchen auf die gefüllten Äpfel setzen.
3. Die Bratäpfel ca. 20 Minuten bei 160 °C im Airfryer backen. Auf Teller geben und, mit je 1 EL Vanillejoghurt garniert, servieren.

Variante

Wenn ein paar Kalorien mehr drin sind, verkneten Sie für Bratäpfel mit einer Orangen-Walnuss-Marzipan-Füllung 30 g Marzipanrohmasse mit etwas abgeriebener Bio-Orangenschale und der Hälfte von 20 g gehackten Walnüssen und füllen die Äpfel damit. Jeweils 1 TL Preiselbeeren obenauf setzen, mit den übrigen Walnussstückchen bestreuen und ab damit in den Airfryer.
Pro Person: ca. 285 kcal | 4,5 g Eiweiß | 16,5 g Fett | 31,5 g Kohlenhydrate

MÖHREN-MUFFINS

mit Walnüssen

Nährwertangaben pro Stück:
ca. 186 kcal | 5,1 g Eiweiß | 13,8 g Fett | 11,6 g Kohlenhydrate

ZUTATEN:

1 kleine Möhre

1 Ei (Größe M)

2 EL Kokosblütenzucker

1 EL Kokosöl (alternativ weiche Butter)

2 EL Mandelmehl

2 EL gemahlene Haselnusskerne

Salz

½ TL Backpulver

⅓ TL gemahlener Zimt

¼ TL gemahlener Ingwer

10 g Walnusskerne

Außerdem

4 Papierförmchen

Zubereitung: ca. 10 Min.
Backen: 15–18 Min.

Temperatur: ca. 180 °C

Für 4 Stück

ZUBEREITUNG:

1. Die Möhre schälen und fein raspeln. Das Ei mit dem Kokosblütenzucker schaumig aufschlagen. Möhrenraspel und Kokosöl zugeben und untermischen.
2. Mandelmehl mit gemahlenen Haselnüssen, 1 kleinen Prise Salz, Backpulver,gemahlenem Zimt und Ingwer mischen. Die Walnüsse hacken und die Hälfte davon unterziehen.
3. Die Papierförmchen in die Mulden der Silikon-Muffinförmchen setzen. Den trockenen Zutatenmix unter die Möhrenmasse rühren. Den Teig mit einem Löffel in die Papierförmchen füllen und mit den restlichen Walnusskernen bestreuen.
4. Die Möhren-Muffins ca. 15–18 bei 180 °C backen, dann herausnehmen und abkühlen lassen.

Tipp

Kokosblütenzucker hat gegenüber normalem Zucker den Vorteil, dass er den Insulinspiegel nicht negativ beeinflusst. So können Sie Süßes genießen, ohne anschließende Heißhungerattacken befürchten zu müssen. Und wer seine Muffins mit Schlagsahne toppen möchte: 1 EL schlägt mit ca. 30 kcal zu Buche.

REGISTER

Bibliografische Information der Deutschen Bibliothek.

Die Deutsche Bibliothek verzeichnet diese Publikation in der Deutschen Nationalbibliografie.

Detaillierte bibliografische Daten sind im Internet über http://www.dnb.de/abrufbar.

EIN BUCH DER EDITION MICHAEL FISCHER

1. Auflage 2019

Projektleitung und Lektorat: Marline Ernzer

Coverreihengestaltung: Daniela Appel

Layout: Meritt Hettwer

Satz: Bernadett Linseisen

Texte: Margit Proebst, München

Rezepte: Margit Proebst: S. 19, 28, 38, 58, 59; Jonathan Häde: S. 10 (Onion Rings), 42; Tanja Dusy: S. 10, 11, 20-26, 29; Tanja Dusy & Inga Pfannebecker: 32-36, 39, 44, 56; Jessica Lerchenmüller: S. 14; Rose Marie Donhauser: S. 16; 18, 30; Christina Wiedemann: S. 40, 52; Stefanie Javurek: S. 46, 47; Sabrina Sue Daniels: S. 48; Mario Kotaska: S. 50, 54; Anne Iburg: S. 53; Maria Panzer: 60

Bildnachweis: Jonathan Häde: S. 9, 43; Tanja Major: S. 11; Jessica Lerchenmüller: S. 15; Guido Schmelich: S. 17, 31; Maria Panzer: 21, 23, 61; Klaus Maria Einwanger: 25, 27, 37; Katrin Winner: S. 33, 35, 45; Sabrina Sue Daniels: S. 41, 49; Manuela Rüther: S. 51, 55; Patrick Rosenthal: S. 57

ISBN 978-3-96093-731-9

Gedruckt bei Polygraf Print, Čapajevova 44, 08001 Prešov, Slowakei

www.emf-verlag.de